Inhalt:

> **So kannst du auch sagen:**
>
> Nomen – Substantiv,
> Hauptwort,
> Namenwort
> Verb – Zeitwort,
> Tunwort,
> Tuwort,
> Tätigkeitswort
> Adjektiv – Eigenschaftswort,
> Wiewort
> Artikel – Begleiter

▶ Achte im Heft auf diese Zeichen:

 *Hörübung*    *Schreibübung*

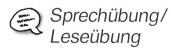 *Sprechübung/*
Leseübung    *Aufgabe*
zum Malen   4 *Rote Aufgaben sind*
etwas schwieriger.

> **Begriffserklärungen**
>
> **Nominativ:** Nach diesem Satzteil fragst du mit Wer oder Was?
> Beispiel: Ich backe einen Kuchen.
>
> **Akkusativ:** Nach diesem Satzteil fragst du mit Wen oder Was?
> Beispiel: Ich backe einen Kuchen.
>
> **Dativ:** Nach diesem Satzteil fragst du mit Wem oder Was?
> Beispiel: Ich helfe dir.

Im Kaufhaus

Akkusativ: einen/keinen

Elena, Kai und Leonie sind im Kaufhaus
und kaufen für den Urlaub ein.

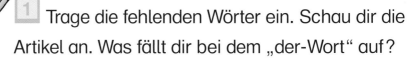

1 Trage die fehlenden Wörter ein. Schau dir die
Artikel an. Was fällt dir bei dem „der-Wort" auf?

das Handtuch

der Regenschirm

die Sonnenbrille

der Gummistiefel
die Gummistiefel

Elena hat keinen .

Sie braucht einen _____.

Kai hat keine .

Er braucht eine _____.

Leonie hat kein .

Sie braucht ein _____.

Leonie hat keine .

Sie braucht _____.

Regel:

Nach vielen Verben, z. B. *brauchen*, muss ein Satzteil im
Akkusativ (→ Seite 1) stehen. Bei der-Wörtern sagst du
dann ein**en** oder kein**en**.
**Sie hat *keinen* Regenschirm. Sie braucht *einen* Regen-
schirm.**

✏️ **2** Die Kinder schauen sich im Kaufhaus um.
Wer möchte was? Fahre die Linien nach und trage
die richtigen Wörter ein. Vergiss den Artikel nicht.

der Ball

der Drachen

die Schaufel

der Eimer

die Gitarre

der Teddybär

Kai möchte _einen Eimer_ und _____ .

Elena möchte _____ und _____ .

Leonie möchte _____ und _____ .

✏️ **3** Was haben sie schon alles? Welche Dinge
möchte Leonie noch? Trage die richtigen Artikel ein.

das Auto

der Badeanzug

die Taschenlampe

das Buch

Sie haben schon _eine_ Sonnenbrille,

_____ Regenschirm, _____ Handtuch und

Gummistiefel. Leonie möchte noch _____ Auto,

_____ Badeanzug, _____ Taschenlampe

und _____ Buch.

🖌️💬 **4** Male ein Bild von deinen Sachen. Erzähle, was
auf dem Bild ist. Was möchtest du außerdem gern
haben? Bilde Sätze wie in den Sprechblasen.

Ich habe einen Ball …

Ich möchte gern
ein Fahrrad …

Koffer packen

Akkusativ: den

Kai und Elena packen die Koffer. Sie fahren zu Kais Oma auf den Bauernhof. Leonie kommt auch mit.

 1 Was packt Kai ein? Trage die Wörter richtig ein.

der	die	das

2 Was sagt Kais Mutter? Umkreise die Artikel. Welcher Artikel hat sich verändert?

Den Ball, das Auto und die Gitarre brauchst du nicht.

Regel:

Beim Akkusativ wird der bestimmte Artikel *der* zu *den*:
Du brauchst *den* Ball nicht.
Die anderen Artikel verändern sich nicht.

3 Kais Mutter packt den Koffer neu.
Schreibe die Wörter auf. Denke an den Akkusativ!

Sie packt *die Hose,*

_____

_____ in den Koffer.

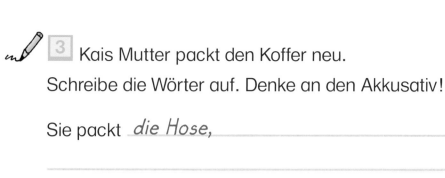

4 Wer macht was? Schreibe fünf Sätze auf. Nimm
für jeden Satz drei Puzzleteile. Lies die Sätze laut.

Elena	holt	die Taschenlampe
Kai	kauft	den Koffer
Leonie	isst	das Handtuch
Oma	braucht	den Pullover
Mama	packt	den Apfel

_____

_____

_____

_____

5 Kennst du das Spiel „Kofferpacken"?
Jeder Spieler packt eine Sache in den Koffer. Vorher
muss er wiederholen, was schon im Koffer liegt.

> Ich packe in meinen Koffer:
> den Ball.

> Ich packe in meinen Koffer:
> den Ball und die Hose.

Die Reise

Uhrzeit / Wochentage

Endlich geht es los! Die Kinder sind auf dem Bahnhof und warten auf den Zug.

 **1** Der Zug hat Verspätung. Kai und Elena schauen auf die Uhr. Lies die Zeitangaben. Wie spät ist es?

1 = eins
2 = zwei
3 = drei
4 = vier
5 = fünf
6 = sechs
7 = sieben
8 = acht
9 = neun
10 = zehn

Es ist acht Uhr.

Es ist Viertel nach acht.

Es ist halb neun.

Es ist Viertel vor neun.

Es ist zehn vor neun.

Es ist fünf nach neun.

Tipp:

Die Uhr zeigt dir, wann man in den Sätzen oben *vor* oder *nach* sagt.

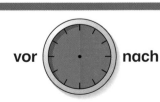

vor   nach

✎ **2** Wie spät ist es? Schreibe zu jeder Uhr einen Satz.

a) _____

b) _____

c) _____

d) _____

🗨 **3** Was macht Kais Oma? Lies die Sätze laut. Male
🖌 bei jeder Uhr die fehlenden Zeiger dazu.

Um halb sechs melkt Oma die Kühe.

Um Viertel nach neun füttert sie die Schweine.

Um zwanzig vor elf sammelt sie die Eier ein.

Um zehn vor zwölf gießt sie die Blumen.

11 = elf	
12 = zwölf	
13 = dreizehn	
14 = vierzehn	
15 = fünfzehn	
16 = sechzehn	
17 = siebzehn	
18 = achtzehn	
19 = neunzehn	
20 = zwanzig	

✎ **4** Oma schreibt auf, wie viele Eier die Hühner
legen. Ergänze die richtigen Wochentage.

Bei der Uhrzeit
sagst du immer *um*,
beim Wochentag
immer *am*.

Mo	Di	Mi	Do	Fr	Sa	So
14	17	12	16	13	18	19

Am Dienstag legen die Hühner siebzehn Eier.

_____ legen die Hühner dreizehn Eier.

_____ legen die Hühner zwölf Eier.

_____ legen die Hühner neunzehn Eier.

_____ legen die Hühner sechzehn Eier.

_____ legen die Hühner vierzehn Eier.

_____ legen die Hühner achtzehn Eier.

Die Wochentage:
Montag
Dienstag
Mittwoch
Donnerstag
Freitag
Samstag
Sonntag

Auf dem Bauernhof

Adjektivendungen

Auf Omas Bauernhof gibt es viele Tiere.

Elena und Kai helfen beim Füttern.

_**1** Trage die Adjektive mit der richtigen Endung ein.
Die Regel hilft dir.

der Hund

die Katze

das Pferd

das Huhn/die Hühner

Die (schwarz) _schwarze_ Katze heißt Mimi.

Der (groß) _____ Hund heißt Bello.

Das (schnell) _____ Pferd heißt Lilli.

Der (klein) _____ Hund heißt Hasso.

Die (weiß) _____ Katze heißt Mieze.

Das (dick) _____ Pferd heißt Liesel.

Die (braun) _____ Hühner heißen Mia und Lea.

Tipp:

**Achte bei den bestimmten Artikeln (der, die, das)
auf die Adjektiv-Endungen im Nominativ (→ Seite 1):
der bunte Hahn
die schwarze Katze
das dicke Schwein
die braunen Hühner**

2 Ordne die Buchstaben und schreibe die Wörter richtig auf. Was fällt dir bei den Adjektiven auf?

die Ente

das Schwein

der Hahn

der Hase

die Kuh/die Kühe

Ein bunter *aHnh* _____ steht auf der Wiese.

Eine kleine *ntEe* _____ schwimmt auf dem Teich.

Ein dickes *wniehSc* _____ schläft im Hof.

Ein brauner *esHa* _____ ist neben dem Baum.

Braune *üKhe* _____ sind im Stall.

Tipp:

Achte bei den unbestimmten Artikeln (ein, eine) auf die Adjektiv-Endungen im Nominativ:
Das ist ein bunter Hahn.
… eine schwarze Katze.
… ein dickes Schwein.
Das sind braune Hühner.

 3 Leonie träumt von einem verrückten Bauernhof.

Trage die Endungen ein. Der Tipp oben hilft dir.

Ein schwarz_*er*_ Hund tanzt auf dem Tisch.

Eine klein_____ Katze pfeift ein Lied.

Unter dem Tisch sitzen zwei blau_____ Elefanten.

Ein alt_____ Pferd fährt Fahrrad.

Ein dünn_____ Schwein wäscht sich die Füße.

4 Beschreibe mit deinen Freunden die Tiere auf einem Bauernhof. Jeder Spieler wiederholt die bereits genannten Tiere und sagt ein weiteres. Achte auf die Adjektive!

Auf dem Bauernhof ist eine alte Kuh.

Auf dem Bauernhof sind eine alte Kuh und ein schnelles Pferd.

Tätigkeiten

Unregelmäßige Verben

Elena, Kai und Leonie dürfen heute auf dem Heuboden übernachten.

1 Lies das Gespräch laut. Unterstreiche die Formen des Verbs *schlafen*. Was verändert sich? Trage die fehlenden Wörter in die Tabelle ein.

Elena: Kai, schläfst du schon?

Kai: Nein. Schläft Leonie schon?

Elena: Ja, sie schläft schon.

Leonie: Nein, ich schlafe noch nicht!

ich _____	wir schlafen
du _____	ihr schlaft
er/sie/es _____	sie schlafen

Regel:

Bei vielen Verben ändert sich der Vokal (Selbstlaut) in der du- und in der er/sie/es-Form.
Merke dir die Formen!

ich schlafe – du schläfst – er/sie/es schläft.

10

2 Welches Verb passt zu welchem Bild? Verbinde!

laufen

essen

schlafen

fahren

sehen

 3 Welches Muster hat Kais Kopfkissen?
Male die Felder mit den angegebenen Farben aus,
dann siehst du es. Merke dir die Formen gut.

du fährst	ihr lauft	sie sieht	ich esse
ich lese	du isst	du läufst	er liest
ich laufe	ihr fahrt	ihr esst	ich fahre
sie isst	er läuft	ihr lest	du siehst
ich sehe	er fährt	ihr seht	du liest

lesen =

sehen =

fahren =

essen =

laufen =

 4 Was macht Kai heute? Trage die Verben aus
dem gelben Kasten ein. Achte auf die richtige Form!

Heute _____ Kai mit dem Fahrrad ins Dorf und
geht ins Kino. Dort _____ er ein Eis. Plötzlich
_____ er Elena. Sie _____ gerade nach
Hause. Abends _____ Kai ein spannendes
Buch und _____ bis zum nächsten Morgen.

laufen

essen

fahren

sehen

lesen

schlafen

Im Badezimmer

Reflexive Verben

Heute haben Elena und Kai im Stall geholfen.
Jetzt waschen sie sich im Badezimmer.

✏️ 1 Kai steht vor dem Spiegel. Kannst du jeweils das richtige Wort eintragen?

der Kopf

der Hals

der Arm

das Bein

die Hand

der Finger

der Fuß

das Auge

die Nase

der Mund

das Ohr

die Haare

2 Suche in den Bildern die Wörter aus dem Kasten und unterstreiche sie. Der Tipp hilft dir.

mich	dich	sich
uns	euch	sich

Was macht Leonie?

Sie wäscht sich.

Wäschst du dich?

Ja, ich wasche mich.

Was machen Elena und Kai?

Sie waschen sich.

Wascht ihr euch?

Ja, wir waschen uns.

Tipp:

Manche Verben sind reflexiv, das heißt danach muss noch ein Wort stehen: *mich, dich, sich, uns, euch* oder *sich.* Dieses Wort hängt von der Person ab, über die man spricht.

 3 Ergänze die Tabelle. Aufgabe 2 hilft dir dabei.

ich wasche _mich_	wir waschen _____
du wäscht _____	ihr wascht _____
er/sie/es wäscht _____	sie waschen _____

 4 Kannst du die fehlenden Wörter ergänzen?

Ich langweile _____ .   Elena und Kai freuen _____ .

Wir beeilen _____ .   Ärgerst du _____ ?

Der Ausflug

Trennbare Verben

Elena und Kai fahren mit dem Bus in die Stadt.

Der Bus fährt gleich los.

1 Lies die Sätze und unterstreiche die Verben.
Das Verb in jedem Satz besteht aus zwei Teilen.
Die Regel hilft dir.

Elena und Kai steigen in den Bus ein.

Sie setzen sich hin.

Dann fährt der Bus los.

Am Rathaus hält der Bus an.

Elena und Kai steigen dort aus.

Regel:

Manche Verben sind trennbar: Du musst die Vorsilbe abtrennen und ans Ende des Satzes stellen.

(ein|steigen)

Elena und Kai (steigen) **in den Bus** (ein) **.**

14

2 Wo kannst du diese Verben trennen?

Zeichne jeweils einen Strich ein. Aufgabe 1 hilft dir.

einsteigen

hinsetzen

losfahren

anhalten

aussteigen

3 In der Stadt gibt es viel zu tun.

Setze die Verben richtig ein.

ein kaufen: Kai und Elena _____ auf dem Markt _____.

an sehen: Sie _____ die Schaufenster _____.

mit bringen: Sie _____ Leonie einen Lutscher _____.

vorbei laufen: Elena _____ am Kino _____.

an fangen: Die Vorstellung _____ gleich _____.

4 Zu vielen Verben passen mehrere Vorsilben.

Wie viele Vorsilben fallen dir zum Verb *gehen* ein?

Schreibe sie auf.

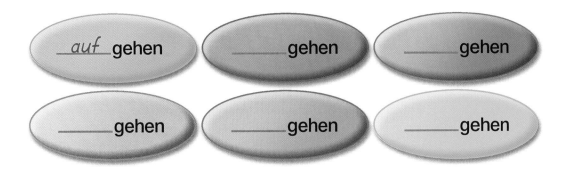

auf gehen

_____ gehen

_____ gehen

_____ gehen

_____ gehen

_____ gehen

5 Bilde Sätze mit den Verben aus Aufgabe 4.

Morgens geht die Sonne auf.

Geburtstagsfeier

Personalpronomen (Akkusativ)

Kai hat heute Geburtstag und alle bereiten die Geburtstagsfeier vor.

1 Wer holt was? Trage die Wörter mit Artikel ein.

Tipp: Die Wörter stehen im Akkusativ.

Was passiert mit den Wörtern im zweiten Satz?

der Luftballon

die Blume

das Messer

die Kerzen

Oma holt _____.

Leonie stellt sie in die Vase.

Kai bläst _____ auf.

Oma hängt ihn an die Wand.

Oma holt zehn _____.

Elena steckt sie auf den Geburtstagskuchen.

Oma holt _____.

Kai legt es auf den Tisch.

Regel:

Eine Person oder eine Sache kann man durch ein Personalpronomen ersetzen. Im Akkusativ benutzt man dann folgende Personalpronomen:

den/einen Knochen → ihn
die/eine Blume → sie
das/ein Messer → es
die Kerzen/ – Kerzen → sie

2 Kai bekommt viele Geschenke. Lies die Sätze laut und trage dann die fehlenden Personalpronomen im Akkusativ ein.

Die Kinder bringen Geschenke. Kai packt ___*sie*___ aus.

Elena schenkt Kai einen Drachen. Kai findet _____ schön.

Leonie schenkt Kai eine Murmel. Kai legt _____ auf den Tisch.

Ali schenkt Kai ein kleines Auto. Kai stellt _____ auf den Boden.

Oma schenkt Kai einen Schal. Kai legt _____ um den Hals.

3 Im Akkusativ verändern sich die Wörter *ich, du, wir* und *ihr*. Wie heißen sie? Suche sie in den Sprechblasen und unterstreiche sie.

Ist das für mich?

Ja, das ist für dich.

Ist das für uns?

Ja, das ist für euch.

4 Die Kinder bekommen von Oma kleine Geschenke. Was sagt Oma? Ergänze die richtigen Personalpronomen. Der gelbe Kasten hilft dir.

Das Auto ist für ___*ihn*___ (er).

Die Bonbons sind für _____ (Kai und Elena).

Der Bleistift ist für _____ (du).

Der Malblock ist für _____ (wir).

Der Teddybär ist für _____ (Leonie).

Der Ball ist für _____ (ihr).

Das Stück Kuchen ist für _____ (ich).

ich – mich
du – dich
er – ihn
sie – sie (Singular)
wir – uns
ihr – euch
sie – sie (Plural)

Im Schwimmbad

Possessivartikel (Akkusativ)

Die Kinder sind den ganzen Tag im Freibad.

Da ist ganz schön was los!

1 Was haben die Kinder dabei? Unterstreiche die Possessivartikel. Trage die Nomen in die Tabelle ein.

Kai hat seinen Ball, seine kurze Hose und sein Handtuch dabei. Elena hat ihren Badeanzug und ihr Buch dabei. Leonie hat ihre Sonnenbrille dabei.

seinen/ihren	seine/ihre	sein/ihr
Ball		

Tipp:

Der Possessivartikel sagt dir, wem etwas gehört.
Achte im Akkusativ auf die richtigen Endungen der Possessivartikel:
Er packt sein**en** Schwimmring ein.
Sie packt ihr**en** Schwimmring ein.
Die Endung ist wie beim unbestimmten Artikel
(→ Seite 2).

2 Welche Wörter gehören zusammen?
Umkreise sie in den Farben der Startblöcke.

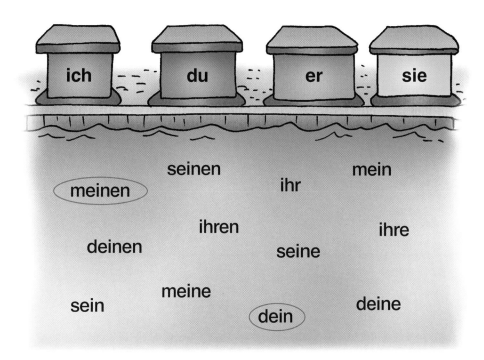

3 Was machen die Kinder im Schwimmbad?
Lies den Text laut. Trage dann die Wörter aus dem
Kasten richtig ein.

Elena zieht _____ T-Shirt und _____ Schuhe
aus. Dann zieht sie _____ Badeanzug an und
setzt _____ Sonnenbrille auf. Kai zieht _____
Hose und _____ Pullover aus. Danach holt er
_____ Ball und _____ Handtuch aus der
Tasche.

seine	ihr
ihre	seinen
seinen	ihren
sein	ihre

4 Du willst ins Schwimmbad gehen, was nimmst
du mit? Erzähle!

Ich nehme meine Schwimmbrille mit
und meinen …

In der Küche

Personalpronomen (Dativ)

Heute ist Sonntag und Oma backt einen Kuchen.
Die Kinder helfen ihr dabei.

1 Suche in den Sprechblasen die Wörter aus dem Kasten. Umkreise sie.

| dir |
| mir |
| ihm |
| ihr |
| ihnen |

Ich backe einen Kuchen. Hilfst du mir?

Ja, ich helfe dir.

Hilfst du Oma?

Ja, ich helfe ihr.

Hilfst du Kai?

Ja, ich helfe ihm.

Hilfst du Kai und Elena?

Ja, ich helfe ihnen.

2 Welche Wörter gehören zusammen?

Verbinde sie miteinander.

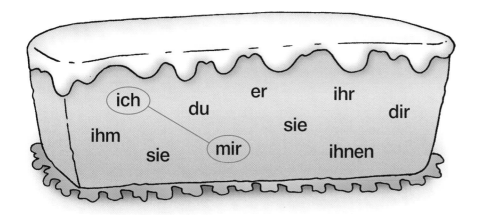

ich   du   er   ihr   dir
ihm   sie   mir   sie   ihnen

Regel:

Nach manchen Verben muss ein Satzteil im Dativ
(→ Seite 1) stehen.
Beispiel: Ich helfe dir**. Das gefällt** mir**. Das gehört** mir**.**
Die Personalpronomen im Dativ heißen:
mir – dir – ihm – ihr – uns – euch – ihnen.

 3 Trage die fehlenden Pronomen im Dativ ein.

Der Kuchen schmeckt Oma. Er schmeckt ____*ihr*____.

Der Kuchen schmeckt Kai. Er schmeckt _____.

Der Kuchen schmeckt Elena. Er schmeckt _____.

Der Kuchen schmeckt Leonie und Kai. Er schmeckt _____.

Schmeckt _____ der Kuchen?

Ja, der Kuchen schmeckt _____.

 4 Ergänze die richtigen Personalpronomen im Dativ.

fragen und antworten

Du fragst mich. Ich antworte ____*dir*____.

Er fragt mich. Ich antworte _____.

Sie fragt mich. Ich antworte _____.

Sie fragen mich. Ich antworte _____ nicht.

Erlebnisse

Perfekt (Einführung)

Die Kinder sind wieder zu Hause.

Beim Abendessen erzählen sie von ihren Ferien.

1 Die Kinder erzählen von ihren Erlebnissen. Lies den Text. Unterstreiche die Verben, die mit *ge-* anfangen.

Auf dem Bauernhof haben wir viel gemacht. Jeden Tag haben wir die Tiere gefüttert. Einmal sind wir in die Stadt gefahren. Auf dem Markt hat Oma viele Sachen gekauft. Im Kino habe ich einen spannenden Film gesehen. Und an meinem Geburtstag haben wir lange gefeiert und erst ganz spät geschlafen.

Regel:

Wenn du von etwas erzählen willst, was schon passiert ist, benutzt du das Perfekt (Vergangenheitsform).

So wird das Perfekt meistens gebildet: haben + Partizip (meistens Verbform mit ge-).

Ich habe die Tiere gefüttert.

✎ **2** Trage die unterstrichenen Wörter aus Aufgabe 1 ein.

machen	feiern	schlafen	kaufen	sehen	füttern	fahren

✎ **3** Jetzt reden alle Kinder durcheinander. Ergänze
die richtige Form von *haben*. Der gelbe Kasten hilft dir.

haben

ich habe

du hast

er/sie/es hat

wir haben

ihr habt

sie haben

Ihr _____ den Schweinestall sauber gemacht.

Ich _____ die Kühe gefüttert.

Leonie _____ die Katzen gestreichelt.

Kai und Elena _____ einen Kuchen gebacken.

Du _____ jeden Tag ein Buch gelesen.

Wir _____ viel gelacht.

Tipp:

**Ein Partizip hat meistens ein *-t* am Ende. Manche haben
aber die Endung *-en*, wie z. B. die unregelmäßigen
Verben auf S. 10/11. Merke dir die Partizip-Formen gut.**

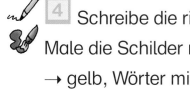

✎ **4** Schreibe die richtige Grundform auf die Linien.
Male die Schilder richtig aus: Wörter mit *-t* am Ende
→ gelb, Wörter mit *-en* am Ende → orange.

_____

_____

_____

_____

gelesen	gelaufen

gespielt	gekauft

gewaschen	gefahren

gemalt	gesehen

Am Abend
Perfekt

Abends sind die Kinder in Kais Zimmer und erzählen von ihren Erlebnissen.

1 Lies den Text in den Sprechblasen laut. Umkreise jeweils die Form von haben und das Partizip. Wo steht *haben*, wo steht das Partizip?

2 Welche Satzteile passen zusammen? Bilde so viele Sätze wie möglich.

Elena		ein Bild	gemalt
Kai	hat	viel	gegessen
Leonie		heute	gelacht
		einen Apfel	geweint.

Regel:

Achte auf die Wortstellung in den Sätzen oben: *haben* steht an zweiter Stelle, das *Partizip* steht ganz am Ende.

Ich habe heute auf der Straße einen süßen Hund gesehen.

3 Was hat Elena heute gemacht? Lies die Sätze laut. Unterstreiche alle Verben. Was fällt dir bei der Bildung des Perfekts auf?

Ich habe lange gefrühstückt.

Dann bin ich zum Park gelaufen.

Da bin ich auf einen Baum geklettert.

Nachmittags bin ich Fahrrad gefahren.

Danach habe ich ein Buch gelesen.

Ich bin spät ins Bett gegangen.

Regel:

Bei Verben der Bewegung benutzt man in der Regel im Perfekt nicht *haben + Partizip*, sondern *sein + Partizip*: Ich *habe* geschlafen. Aber: Ich *bin* gefahren.

4 Trage die richtigen Formen von *sein* ein. Der gelbe Kasten hilft dir.

Ich ___*bin*___ heute zur Schule gelaufen.

Kai ___ mit dem Bus gefahren.

Wir ___ im Park spazieren gegangen.

Du ___ heute zu spät gekommen.

Kai und Elena ___ auf einen hohen Baum geklettert.

Ihr ___ mit dem Auto gefahren.

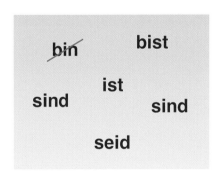

bin bist
ist
sind sind
seid

5 Was hast du heute gemacht? Erzähle!

Ich habe heute gefrühstückt und bin zur Schule gegangen. Dann ...

Schulanfang

wollen, müssen, dürfen

Die Schule hat wieder angefangen und
Elena muss früh aufstehen.

1 Was will Elena machen, was muss sie machen?
Trage die richtigen Wörter ein.

Elena will noch ___*schlafen*___ , aber sie muss
___*aufstehen*___ . (~~aufstehen~~ / ~~schlafen~~)

Elena will _____ , aber sie muss _____
_____ . (spielen / zur Schule gehen)

In der Schule will sie _____ , aber sie
muss _____ . (rechnen / malen)

Nachmittags will sie _____ ,
aber sie muss _____ .
(Hausaufgaben machen / schwimmen gehen.)

Abends will sie _____ , aber sie muss
_____ . (lesen / beim Abwasch helfen)

Tipp:

wollen, dürfen und *müssen* **brauchen noch ein zweites
Verb. Dieses steht immer in der Grundform und am Ende
des Satzes.**
Elena *will* **heute lange** *schlafen*.

2 Findest du die sechs Formen von *wollen*?
Trage sie in die Tabelle rechts ein.

wollen

ich _will_

du _____

er/sie/es _____

wir _____

ihr _____

sie _____

3 Was muss man in der Schule tun, was darf man nicht tun? Verbinde die Schilder mit den passenden Sätzen. Unterstreiche jeweils *muss* und *darf*.

a) Hier darf man nicht laut sein.

b) Hier darf man nicht telefonieren.

c) Hier muss man Sportschuhe anziehen.

d) Hier darf man kein Eis essen.

e) Hier darf man nicht Fahrrad fahren.

dürfen
ich darf
du darfst
er/sie/es darf
wir dürfen
ihr dürft
sie dürfen

4 Müssen, dürfen oder wollen? Lies die Sätze laut. Setze das passende Verb ein und achte auf die richtige Endung.

Im Unterricht ___*muss*___ Elena aufpassen.

Sie _____ nicht laut sein. In der Pause

_____ die Kinder auf dem Schulhof

spielen. Aber sie _____ nicht auf die

Bäume klettern. Nach der Schule _____

Elena Hausaufgaben machen, aber sie _____

lieber draußen spielen.

müssen
ich muss
du musst
er/sie/es muss
wir müssen
ihr müsst
sie müssen

Wiederholung

1 Die Kinder fahren heute zu Oma. Was packen sie in ihren Koffer? Trage die Possessivartikel ein.

Kai packt ___*seinen*___ Pullover, _____

Handtuch und _____ Hose ein. Elena packt

_____ Badeanzug und _____ Ball

ein. Leonie packt _____ Drachen und

_____ Buch ein.

~~ankommen~~
abholen
einsteigen
abfahren
anhalten

2 Die Reise geht los. Trage die richtigen Wörter ein.

Um neun Uhr ___*kommt*___ der Zug ___*an*___ .

Kai und Elena _____ in den Zug _____ .

Der Zug _____ gleich _____ .

Nach einer Stunde _____ der Zug _____ .

Oma _____ die Kinder vom Bahnhof _____ .

3 Was haben die Kinder auf dem Bauernhof gemacht? Trage das Perfekt richtig ein.

Kai _____ die Kühe _____ .   füttern

Leonie _____ die Katzen _____ .   streicheln

Die Kinder _____ viel _____ .   lachen

Kai _____ jeden Tag ein Buch _____ .   lesen

4 Schneide die Satzbaumaschine und die Scheiben auf S. 31 aus. Schneide auch die Fenster aus. Stecke Musterklammern durch die markierten Löcher und befestige damit die Scheiben hinter der Maschine. Bilde unterschiedliche Sätze und lies sie.

Musterklammer ⟶

Lösungen

Seiten 2/3

Sie braucht einen Regenschirm.
Er braucht eine Sonnenbrille.
Sie braucht ein Handtuch.
Sie braucht Gummistiefel.

Bei der-Wörtern wird *ein* zu *einen*.

Kai möchte einen Eimer und
eine Schaufel.
Elena möchte einen Ball und
einen Drachen.
Leonie möchte eine Gitarre und
einen Teddybären.

Sie haben schon eine Sonnenbrille,
einen Regenschirm, ein Handtuch und
Gummistiefel.
Leonie möchte noch ein Auto,
einen Badeanzug, eine Taschenlampe
und ein Buch.

Seiten 4/5

der	die	das
Ball	Gitarre	Buch
Teddybär	Taschenlampe	Auto

(den) Ball

(das) Auto

(die) Gitarre

Der Artikel *der* hat sich verändert.

Sie packt die Hose, den Pullover, die
Schuhe und das T-Shirt in den Koffer.

Lösungsmöglichkeit:
Elena packt den Koffer.
Kai kauft die Taschenlampe.
Leonie isst den Apfel.
Oma braucht das Handtuch.
Mama holt den Pullover.

Seiten 6/7

a) Es ist Viertel nach elf.
b) Es ist Viertel vor drei.
c) Es ist fünf vor sieben.
d) Es ist fünf nach zehn.

Am Freitag legen die Hühner
dreizehn Eier.
Am Mittwoch legen die Hühner
zwölf Eier.
Am Sonntag legen die Hühner
neunzehn Eier.
Am Donnerstag legen die Hühner
sechzehn Eier.
Am Montag legen die Hühner
vierzehn Eier.
Am Samstag legen die Hühner
achtzehn Eier.

Seiten 8/9

Der große Hund heißt Bello.
Das schnelle Pferd heißt Lilli.
Der kleine Hund heißt Hasso.
Die weiße Katze heißt Mieze.
Das dicke Pferd heißt Liesel.
Die braunen Hühner heißen Mia
und Lea.

Von oben nach unten:
Hahn, Ente, Schwein, Hase, Kühe.
Die Adjektive haben unterschiedliche
Endungen.

ein schwarzer Hund, eine kleine Katze,
blaue Elefanten, ein altes Pferd,
ein dünnes Schwein

Seiten 10/11

schläfst, schläft, schläft, schlafe

ich schlafe
du schläfst
er/sie/es schläft

Das a wird zu ä.

Bett – schlafen
Fahrrad – fahren
Apfel – essen
Brille – sehen
Schuhe – laufen

Rot: ich lese, du liest, er liest, ihr lest;
Grün: ich sehe, du siehst, sie sieht,
ihr seht;
Blau: du fährst, er fährt, ihr fahrt,
ich fahre;
Gelb: ich esse, du isst, sie isst, ihr esst;
Orange: ich laufe, du läufst, er läuft,
ihr lauft.

fährt, isst, sieht, läuft, liest, schläft

Seiten 12/13

Kästchen links: Hand, Nase;
Kästchen rechts: Haare, Kopf, Auge, Ohr,
Mund, Hals, Arm, Finger, Bein, Fuß.

Sie wäscht sich. Wäscht du dich?
Ja, ich wasche mich. Sie waschen sich.
Wascht ihr euch? Ja, wir waschen uns.

ich wasche mich	wir waschen uns
du wäscht dich	ihr wascht euch
er/sie/es wäscht sich	sie waschen sich

Ich langweile mich.
Wir beeilen uns.
Elena und Kai freuen sich.
Ärgerst du dich?

Seiten 14/15

Elena und Kai steigen in den Bus ein.
Sie setzen sich hin.
Dann fährt der Bus los.
Am Rathaus hält der Bus an.
Elena und Kai steigen dort aus.

ein/steigen
hin/setzen
los/fahren
an/halten
aus/steigen

Elena und Kai kaufen auf dem Markt ein.
Sie sehen die Schaufenster an.
Sie bringen Leonie einen Lutscher mit.
Elena läuft am Kino vorbei.
Die Vorstellung fängt gleich an.

Beispiele:
mitgehen, weggehen, zugehen,
vorbeigehen, losgehen, hinuntergehen,
vorgehen, hineingehen, hinausgehen,
hinaufgehen, aufgehen …

Beispiele:
Gehst du mit? Wir gehen jetzt weg.
Der Koffer geht nicht zu.
Wir gehen am Kino vorbei.
Gleich geht es los.
Ich gehe die Treppe hinunter.
Die Uhr geht vor. Wir gehen hinein.
Ich gehe hinaus. Wir gehen den Berg
hinauf. Die Tür geht auf.

Seiten 16/17

Oma holt eine Blume.
Kai bläst einen Luftballon auf.
Oma holt zehn Kerzen.
Oma holt ein Messer.

Die Wörter im zweiten Satz werden durch ein anderes Wort (Personalpronomen) ersetzt.

Kai findet ihn schön.
Kai legt sie auf den Tisch.
Kai stellt es auf den Boden.
Kai legt ihn um den Hals.

ich – mich, du – dich, wir – uns, ihr – euch

Die Bonbons sind für sie.
Der Bleistift ist für dich.
Der Malblock ist für uns.
Der Teddybär ist für sie.
Der Ball ist für euch.
Das Stück Kuchen ist für mich.

Seiten 18/19

seinen, seine, sein, ihren, ihr, ihre

seinen/ihren: Ball, Badeanzug
seine/ihre: Hose, Sonnenbrille
sein/ihr: Handtuch, Buch

ich: meinen – meine – mein
du: deinen – deine – dein
er: seinen – seine – sein
sie: ihren – ihre – ihr

ihr T-Shirt, ihre Schuhe, ihren Badeanzug, ihre Sonnenbrille, seine Hose, seinen Pullover, seinen Ball, sein Handtuch

Seiten 20/21

Hilfst du (mir)? Ja, ich helfe (dir).

Ja, ich helfe (ihr). Ja, ich helfe (ihm).

Ja, ich helfe (ihnen).

du – dir   er – ihm
sie – ihr   sie – ihnen

Er schmeckt ihm. Er schmeckt ihr.
Er schmeckt ihnen.
Schmeckt dir der Kuchen?
Ja, der Kuchen schmeckt mir.

Du fragst mich. Ich antworte dir.
Er fragt mich. Ich antworte ihm.
Sie fragt mich. Ich antworte ihr.
Sie fragen mich. Ich antworte ihnen nicht.

Seiten 22/23

gemacht, gefüttert, gefahren, gekauft, gesehen, gefeiert, geschlafen

machen – gemacht
feiern – gefeiert
schlafen – geschlafen
kaufen – gekauft
sehen – gesehen
füttern – gefüttert
fahren – gefahren

Ihr habt den Schweinestall sauber gemacht.
Ich habe die Kühe gefüttert.
Leonie hat die Katzen gestreichelt.
Kai und Elena haben einen Kuchen gebacken.
Du hast jeden Tag ein Buch gelesen.
Wir haben viel gelacht.

Orange:
gelesen – lesen, gewaschen – waschen, gelaufen – laufen, gefahren – fahren, gesehen – sehen;
Gelb:
gespielt – spielen, gemalt – malen, gekauft – kaufen.

Seiten 24/25

Die Form von haben steht an zweiter Stelle, das Partizip steht am Ende.

Beispiele:
Elena hat ein Bild gemalt.
Leonie hat heute geweint.
Elena hat einen Apfel gegessen.
Kai hat viel gelacht.

Ich habe lange gefrühstückt.
Dann bin ich zum Park gelaufen.
Da bin ich auf einen Baum geklettert.
Nachmittags bin ich Fahrrad gefahren.
Danach habe ich ein Buch gelesen.
Ich bin spät ins Bett gegangen.

Ich bin heute zur Schule gelaufen.
Kai ist mit dem Bus gefahren.
Wir sind im Park spazieren gegangen.
Du bist heute zu spät gekommen.
Kai und Elena sind auf einen hohen Baum geklettert.
Ihr seid mit dem Auto gefahren.

Seiten 26/27

Elena will noch schlafen, aber sie muss aufstehen.
Elena will spielen, aber sie muss zur Schule gehen.

In der Schule will sie malen, aber sie muss rechnen.
Nachmittags will sie schwimmen gehen, aber sie muss Hausaufgaben machen.
Abends will sie lesen, aber sie muss beim Abwasch helfen.

ich will
du willst
er/sie/es will
wir wollen
ihr wollt
sie wollen

Von links nach rechts: d), a), c), b), e)

Im Unterricht muss Elena aufpassen.
Sie darf nicht laut sein.
In der Pause dürfen die Kinder auf dem Schulhof spielen.
Aber sie dürfen nicht auf die Bäume klettern.
Nach der Schule muss Elena Haus-aufgaben machen, aber sie will lieber draußen spielen.

Seite 28

seinen Pullover
sein Handtuch
seine Hose
ihren Badeanzug
ihren Ball
ihren Drachen
ihr Buch

Kai und Elena steigen in den Zug ein.
Der Zug fährt gleich ab.
Nach einer Stunde hält der Zug an.
Oma holt die Kinder vom Bahnhof ab.

Kai hat die Kühe gefüttert.
Leonie hat die Katzen gestreichelt.
Die Kinder haben viel gelacht.
Kai hat jeden Tag ein Buch gelesen.

Spielmaterial zum Ausschneiden:

Satzbaumaschine

Die Bastelanleitung findest du auf Seite 28.

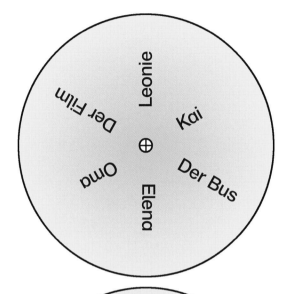

Leonie
Kai
Der Bus
Elena
Omo
Der Film

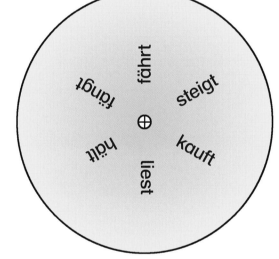

fährt
steigt
kauft
liest
hält
fängt

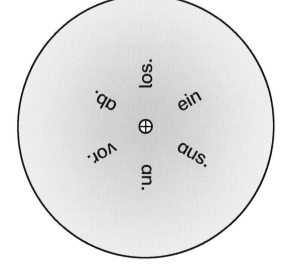

los.
ein
aus.
an.
vor.
ab.

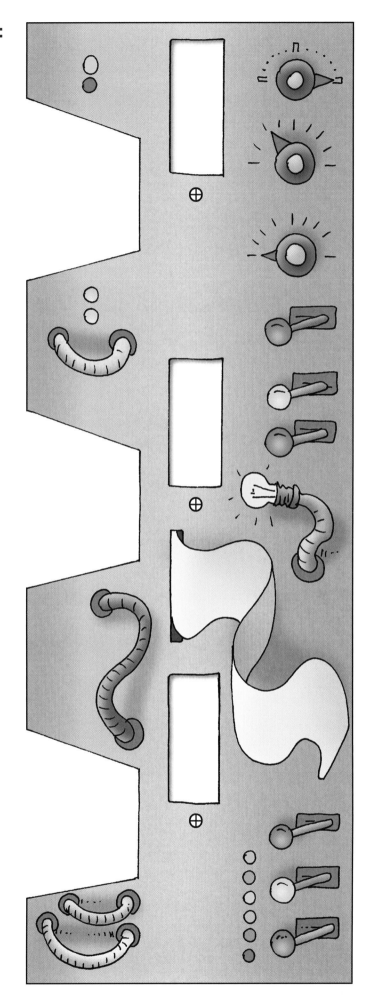

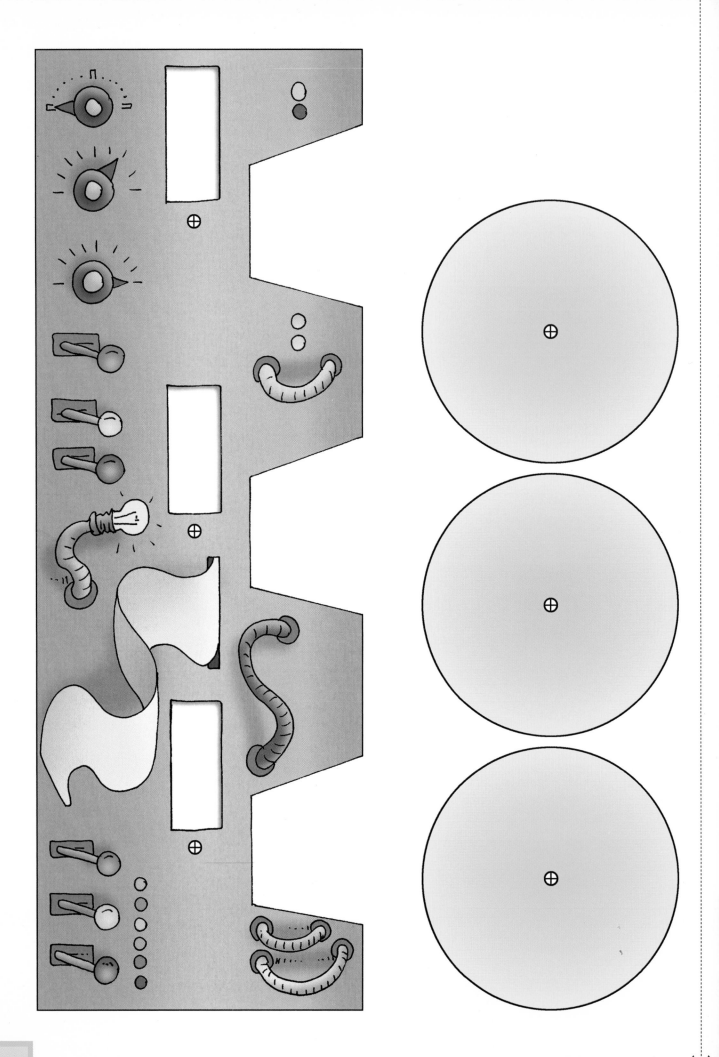